《吃遍天下》**26**

小小家常汤 **瘦身减肥汤**

广州出版社

向您推荐

《瘦身减肥汤》以通俗的文字介绍了常见的36种做汤方法，教您科学地搭配食物，制作出味道独特、营养全面、瘦身减肥的清汤，充分发挥各类食物的功效，轻轻松松恢复苗条身材。书中还配有精美详细的制作过程图，为您提供更直观的参考借鉴，使操作更简单。

除此之外，本书还具有三大特点：

一、5元定价，绝对超值。此书不仅价格超低，而且质量一流，非常注重装帧的精美和图片的美观，一览便知。

二、配有营养分析，以便提高您的饮食质量。书中选取了36道食谱中涉及的18种食物，有针对性地进行了详细的营养分析，方便您根据家人的体质及相关宜忌调整饮食，将中医学"药食同补"的科学概念应用到日常生活中。

三、配有相宜相克图文，给人饮食方面的警示。专业的营养师从营养学的角度对本书中36道菜中的相关食物进行了相宜与相克的列举，帮您纠正日常生活中不正确的饮食习惯，让您的饮食既丰富、有营养，又安全、放心。

目录
Contents

瘦身减肥汤 **排骨冬瓜汤**

准备:8分钟
烹饪:50分钟

【特别提示】
冬瓜煮久一些汤的味道会更好。

【原材料】排骨300克、冬瓜200克、姜15克

【调味料】盐6克、味精2克、胡椒粉3克、高汤适量

【制作过程】

1 排骨洗净斩块,冬瓜去皮、瓤洗净后切滚刀块,姜去皮切片;

2 锅中注水烧开,放入排骨焯烫,捞出沥干水分;

3 将高汤倒入锅中,放入排骨煮熟,加入冬瓜、姜片继续煮30分钟,加入调味料即可。

1

2

3

乌鸡冬瓜汤

准备:8分钟
烹饪:200分钟

【原材料】 乌鸡1只、冬瓜750克、金华火腿30克

【调味料】 水适量、盐适量

【制作过程】

1. 乌鸡洗净斩件,冬瓜去瓤,连皮切大块;

2. 锅中加水烧开,下入乌鸡块焯去血沫;

3. 煲中加水适量,将所有材料放入用大火煲10分钟,改慢火再煲3小时,下盐调味即成。

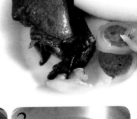

【特色介绍】 此汤有补脾利水的作用,本汤重用冬瓜意在利水消肿。

1

2

3

鲤鱼头煮冬瓜

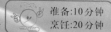

准备:10分钟
烹饪:20分钟

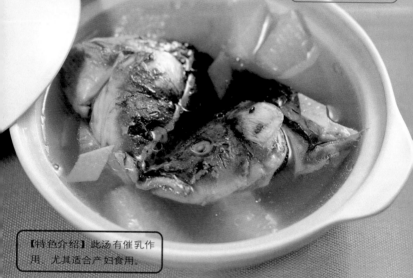

【特色介绍】此汤有催乳作用，尤其适合产妇食用。

【原材料】鲤鱼头1个、冬瓜100克

【调味料】盐3克、味精5克、葱5克、香菜6克

【制作过程】

1. 将鱼头洗净，去鳃；冬瓜去皮、去瓤，切成块；
2. 把锅放在文火上，放入鱼头、冬瓜，加水煮沸；
3. 待鲤鱼熟透，调味即成。

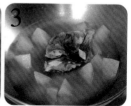

准备:8分钟
烹饪:20分钟

冬瓜瑶柱汤

《吃遍天下》26
瘦身减肥汤

【特别提示】虾去泥
肠时，一定要去尽。

【原材料】冬瓜200克、瑶柱20克、虾30克、草菇10克、姜10克

【调味料】盐5克、味精3克、鸡精1克

【制作过程】

1.冬瓜去皮，切成片；瑶柱泡发；草菇洗净，对切；

2.虾剥去壳，挑去泥肠洗净；姜去皮，切片；

3.锅上火，爆香姜片，下入高汤、冬瓜、瑶柱、虾、草菇煮熟，加入调味料即可。

上汤冬瓜

准备:5分钟
烹饪:20分钟

【特别提示】冬瓜性寒，能养胃生津，清降胃火。

【原材料】冬瓜500克、火腿20克、瘦肉50克、香菇2朵

【调味料】盐3克、鸡精1克、胡椒粉5克、生粉水10克、上汤适量

【制作过程】

1.将火腿切丝，瘦肉切丝，香菇泡发切丝备用；

2.将冬瓜去皮切片后，装入盘中，调入盐，放入蒸锅，蒸熟取出；

3.锅上火，放入火腿、瘦肉、香菇炒香，加入上汤煮沸，加入调味料，用生粉水勾芡，芡熟后盛出，浇淋在冬瓜上即可。

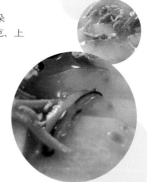

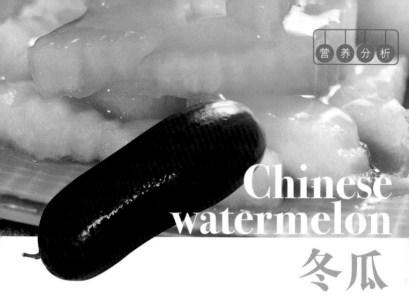

Chinese watermelon

冬瓜

冬瓜原产于中国和东印度，在我国已有2000多年的栽培历史。具有良好的烹调性，在南北各地市场是最受欢迎的蔬菜之一。

【营养与功效】

冬瓜有良好的清热解暑功效。夏季多吃些冬瓜，不但解渴消暑、利尿，还可使人免生疔疮。因其利尿，且含钠极少，所以是慢性肾炎水肿、营养不良性水肿、孕妇水肿的消肿佳品。它含有多种维生素和人体所必需的微量元素，可调节人体的代谢平衡。冬瓜性寒，能养胃性津、清降胃火，使人食量减少，促使体内淀粉、糖转化为热能，而不变成脂肪。因此，冬瓜是肥胖者的理想蔬菜。冬瓜有抗衰老的作用，久食可保持皮肤洁白如玉、润泽光滑，并可保持形体健美。

【营养师健康警告】

因冬瓜性寒，故久病的人与阴虚火旺者应少食。

【烹饪特别提示】

冬瓜是一种解热利尿比较理想的日常食物，连皮一起煮汤，效果更明显。

【烹饪方法】

可煮汤、可炒、可凉拌等。

【选购】

要选择外形完整，无虫蛀、外伤的新鲜冬瓜。

【保存】

冬瓜放置在阴凉通风处可长时间保存。

【适用量】

每次约100克。

莲藕龙骨汤

准备:7分钟
烹饪:60分钟

【特色介绍】此汤有清血热、降肝火、利肠胃之功效。

【原材料】龙骨200克、莲藕100克、姜片1片

【调味料】盐、味精适量

【制作过程】

1 将龙骨洗净，斩成小块，过水去血水；莲藕切滚刀块；

2 将切好的龙骨、莲藕、姜片装入汤盅加开水，上笼用中火烧1个小时；

3 放入调味料即可。

萝卜排骨汤

准备:7分钟
烹饪:2小时

【原材料】排骨180克、 白萝卜50克

【调味料】鸡精0.5克、 味精0.5克、 盐1克

【制作过程】

1. 将排骨斩成块, 洗净焯水; 萝卜切块;

2. 将所有原材料放入盅内, 用中火蒸2个小时;

3. 最后放入调味料即可。

【特色介绍】此汤有健
胃消食、补虚弱之功效。

藕节萝卜排骨汤

准备:10分钟
烹饪:3 小时

【原材料】藕节200克、红萝卜150克、猪排骨500克、生姜5克

【调味料】盐5克

【制作过程】

1.藕节刮去须、皮，洗净，切滚刀块；红萝卜洗净，切块；

2.猪排骨斩件，洗净，飞水；

3.将2000克清水放入瓦煲内，煮沸后加入所有原材料，武火煲滚后，改用文火煲3小时，加盐调味即可。

【特色介绍】藕节是莲藕根茎与根茎之间的连接部位，有收敛止血，凉血散瘀之效，是治疗各种热性出血症的食疗佳品。

莲藕排骨汤

【原材料】 莲藕300克、 排骨500克、 生姜3克

【调味料】 盐5克、 味精3克

【制作过程】

1. 排骨洗净，斩成段；莲藕洗净，切成小丁；生姜洗净，切片；

2. 锅上火，加水烧沸后，下入排骨段焯去血水，捞出；

3. 将排骨段、莲藕、姜片一起装入碗中，加入水，煲40分钟后调入调味料即可。

【特别提示】 莲藕不能放在铁锅里煲，以免被氧化。

瘦身减肥汤 **三鲜烩鸡片**

【特色介绍】它的特点是：皮脆、肉清、清香

准备：8分钟
烹饪：15分钟

【原材料】西红柿2个、蟹柳150克、鸡肉150克、玉米笋80克、竹笋80克、香菇80克

【调味料】上汤200克，盐、味精各适量

【制作过程】

1.鸡肉切片，玉米笋切菱形，蟹柳切菱形，香菇切片，西红柿去皮切片，竹笋切小段；

2.玉米笋、蟹柳、香菇、西红柿、竹笋一起入锅中焯水；

3.锅置旺火上下油，入鸡肉略炒，再把第二步骤中做好的材料一起炒匀至熟，倒入上汤，使菜煨至入味，加调味料起锅即可。

西湖莼菜汤

准备:8分钟
烹饪:10分钟

【特色介绍】此汤清热解毒，清肝明目，对人体特别是青少年成长发育也有重要作用。

【原材料】西湖莼菜200克、鲜虾100克、香菇50克、枸杞10克

【调味料】盐5克、味精3克

【制作过程】

1.虾去壳，用盐腌渍片刻，莼菜洗净，香菇去蒂洗净，切丝，枸杞洗净；

2.锅中加水烧开，下入莼菜、虾、香菇、枸杞煮5分钟；

3.待虾熟后，调入盐、味精即可。

喉管番茄炖土豆

瘦身减肥汤

【特别提示】
喉管过水时
间不宜太长。

【原材料】喉管300克、 番茄1个、 土豆1个、 姜1块
【调味料】盐5克、味精2克、 胡椒粉3克、高汤500克
【制作过程】

1.土豆洗净去皮, 切滚刀块, 番茄切块, 姜去皮切片;

2.锅中注水烧开, 放入喉管焯烫, 捞出沥干水分;

3.锅中油烧热, 爆香姜片, 放入喉管、高汤大火煮开,
转用文火煮1小时, 放入土豆、番茄, 调入调味料煮入
味即可。

准备:5分钟
烹饪:70分钟

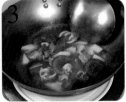

Tomato

西红柿

西红柿又名番茄，属茄科，一年生草本蔬菜，味甘性微寒，全株有软毛，花黄色。18世纪传入我国，目前西红柿的品种有4700多个。西红柿的颜色，有大红的、粉红的、青绿的，还有鲜红的。它含有多种氨基酸和维生素，而且含糖量也很高。

【营养师健康警告】

西红柿营养丰富，一般人均可食用，特别适合心血管疾病患者食用，但要注意青色的西红柿不宜食用。胃酸过多者，空腹时不宜吃西红柿，因为西红柿中含有大量的胺质、果质和可溶性收敛剂等，食后会引起胃胀痛。

【营养与功效】

西红柿含有丰富的钙、磷、铁、胡萝卜素及B族维生素和维生素C，生熟皆能食用，味微酸适口。西红柿能生津止渴、健胃消食、对食欲不振有很好的辅助治疗作用。西红柿肉汁多，对肾炎病人有很好的食疗作用。西红柿有美容效果，常吃具有使皮肤细滑白皙的作用，可延缓衰老。它富含丰富的番茄红素，具有抗氧化功能，能防癌，且对动脉硬化患者有很好的食疗作用。

【食用西红柿的注意事项】

1. 食用西红柿要注意

要选择个大、圆润、丰满、外观漂亮的食用。不要吃长有赘生物的西红柿，因为这个赘生物是肿瘤。

2. 不吃未成熟的西红柿

青色的西红柿含有大量的有毒番茄碱，食用后，会出现恶心、呕吐、全身乏力等中毒症状，对身体有害。

3. 不要空腹吃

西红柿含有大量的胶质、果质、柿胶粉、可溶性收敛剂等成分。这些物质容易与胃酸起化学反应，结成不易溶解的块状物，阻塞胃的出口，引起腹痛。

【适用量】 每天2个。

【选购】 催熟的西红柿多为反季节上市，大小通体全红，手感很硬，外观呈多面体，掰开一看籽呈绿色或未长籽，瓤内无汁；而自然成熟的西红柿周围有些绿色，捏起来很软，外观圆滑，透亮而无斑点，而籽粒是土黄色，肉质为红色，沙瓤，多汁。

腊肉煲素鸡

准备:8分钟
烹饪:70分钟

【特别提示】 腊肉一定要先爆香，煲出的味道才更好。

【原材料】
腊肉150克、素鸡200克、龙骨100克、葱15克、姜10克

【调味料】盐6克、味精2克、胡椒粉3克、料酒10克、酱油8克

【制作过程】

1.素鸡洗净切片，腊肉洗净切片，龙骨斩件，葱切花，姜切片；

2.锅中注水烧开，放入龙骨焯烫去血水，腊肉入锅爆香备用；

3.将所有备好的材料放入煲中，注入适量水煮开，改用文火煲小时，加入调味料，撒上葱花即可。

1

2

3

薏苡仁煮土豆

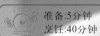

准备:5分钟
烹饪:40分钟

【特色介绍】此菜健脾和胃，去脂减肥；适用于湿痹、脾胃虚弱、肥胖等症。

【原材料】薏苡仁50克、土豆200克

【调味料】料酒10克、姜5克、葱10克、盐3克、味精2克、芝麻油15克

【制作过程】

1.将薏苡仁洗净，去杂质；土豆去皮，洗净，切3厘米见方的块；姜拍松，葱切段；

2.将薏苡仁、土豆、姜、葱、料酒同放炖锅内，加水，置大火上烧沸；

3.转文火炖煮35分钟，加入盐、味精、芝麻油即成。

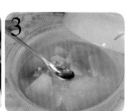

冬菜土豆汤

【特色介绍】此菜健脾益气，春季食用能补脾胃之气。

准备:5分钟
烹饪:15分钟

【原材料】冬菜50克、土豆100克、虾米20克

【调味料】盐5克，香油、味精各少许

【制作过程】

1.土豆洗净，去皮，切成小薄片；虾米洗净后用水泡发；冬菜洗净，切成碎末；

2.取锅，加适量水，将土豆片和虾米倒入锅内，置火上烧开约10分钟，加入冬菜末和盐煮约3分钟；

3.将锅中汤菜盛入汤碗内，用香油和味精调味即可。

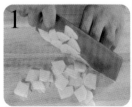

Potato

土豆

土豆是世界性的健康食品。法国营养学家弗朗西马尔罗通过长达15年的研究率先发现，土豆是一种价廉的减肥"良药"。1988年，法国维勒班市成立了全球第一家土豆减肥健美餐厅，目前这类餐厅仅法国就有70多处。1989年以来，意大利、西班牙、美国、加拿大、前苏联等国也先后创建了土豆食疗餐厅30多家。在我国以土豆做主食的还不多，多数人是当菜肴吃。为了减肥，就应以土豆当饭，如煮土豆、炸土豆条或煎土豆饼，每日一餐，坚持吃下去对预防营养过剩或减去多余的脂肪肯定有益。

【营养与功效】

中医认为，土豆性平味甘，具有和胃调中、益气健脾、强身益肾、消炎、活血消肿等功效，可辅助治疗消化不良、习惯性便秘、神疲乏力、慢性胃痛、关节疼痛、皮肤湿疹等症；现代医学研究认为，土豆是高蛋白、低脂肪的营养食品，能为婴儿提供多种维生素和生长所必需的微量元素，可预防中老年营养不良、便秘、肥胖等症，是理想的健康食品。

【营养师健康警告】

一般人均可食用。皮色发青或发芽的土豆不能食用，以防龙葵素中毒。土豆切开后容易氧化变黑，属正常现象，不会造成危害。

【选购】

应选表皮光滑、个体大小一致且没有发芽的土豆。

【适用量】每次1个即可。

文蛤豆腐汤

准备:5分钟
烹饪:12分钟

【特色介绍】文蛤一定要清洗干净。

【原材料】文蛤200克、豆腐100克、
姜10克、葱15克
【调味料】盐5克、味精3克

【制作过程】

1.将文蛤洗净备用，姜去皮切片，葱择洗净切段；

2.豆腐放入汤盅，再将文蛤放在豆腐两边，放入姜
片、葱段和开水，上笼蒸10分钟；

3.再调入盐、味精拌匀即可。

Clam
蛤蜊

蛤俗称蛤蜊，在福建又叫花蛤。蛤仔的两扇贝壳不大，近于卵圆形，表面生有互相交织的同心和放射状的肋以及各色的花纹。蛤肉含有多种氨基酸，营养甚为丰富，为其他贝类所不及。

【营养与功效】

蛤蜊性寒，味咸，有滋阴、软坚、化痰的作用，可滋阴润燥，能用于五脏阴虚消渴、纳汗、干咳、失眠、目干等病症的调理和治疗，对淋巴结肿大、甲状腺肿大也有较好疗效。蛤蜊又是一味清补的营养食品，它含蛋白质多而含脂肪少，适合血脂偏高或高胆固醇血症者食用。蛤蜊含丰富的蛋白质、脂肪、碳水化合物和多种矿物质，具有很高的营养价值。

【特别提示】

蛤蜊、蚌等贝类海产品，在烹调之前，在淡盐水中浸泡约1小时，让它们自动吐出泥沙。随后，检查一下它们的壳是否仍然紧闭，如果紧闭就不能食用。另外，贝类不宜生吃。

【健康提示】

服维生素B₁忌食蛤蜊，蛤蜊和鱼含有能破坏维生素B₁的硫胺酶。另外，烹调蛤蜊及贝类时一定要煮熟透，以免传染上肝炎等疾病。

【适合人群】

所有人均可食用。高血脂、高胆固醇及患有甲状腺肿大的人更宜经常食用。

【适用量】

每次5～10个。

杞子桂圆炖老鸽

【特别提示】焯鸽时水需沸腾，于60分钟

准备:10分钟
烹饪:4小时

【原材料】枸杞10克、桂圆8克、鸽子1只

【调味料】盐适量

【制作过程】

1.鸽子宰杀洗净，用热水余烫后，用冷水冲凉，放入锅内，加入水;

2.将枸杞、桂圆也放入锅中。

3.炖上3~4小时，加盐调味即可。

1

2

3

Longan
龙眼

龙眼是多年生常绿乔木，春天开花，夏日结果。其果呈球形，壳淡黄色或褐色，果肉白色透明，汁多味甜，是岭南佳果之一。干龙眼即桂圆。

【营养与功效】

龙眼果肉鲜嫩、果汁甜美、富含糖分、营养价值高，龙眼肉干被视为珍贵的滋补品。

中医认为：龙眼味甘，性温，归心、脾经，能补益心脾、养血宁神，主治气血不足、心悸怔忡、健忘失眠、血虚萎黄。

现代医学研究认为：龙眼营养价值甚高，富含高碳水化合物、蛋白质、多种氨基酸和维生素，其中维生素P的含量尤其高，对中老年人而言，有保护血管、防止血管硬化和脆性的作用。

【营养师特别提示】

多吃易导致便秘，有上火或发炎症状的人不宜食用。

【适用量】

每天5个左右。

【清洗】

将龙眼一个一个剪下洗净。

【选购】

要选择果肉透明但汁液不溢出、肉质结实的果实。

【保存】

龙眼不宜保存，建议现买现食。

瘦身减肥汤

生鱼汤

准备:10分钟
烹饪:60分钟

【特色介绍】鱼头营养丰富、香而不腻、低脂肪、爽口适胃、防癌补脑。

【原材料】红枣4颗、枸杞少许、生鱼(也称黑鱼、鳢鱼)头1个

【调味料】盐4克、味精3克

【制作过程】

1.鱼头去腮洗净，沥水备用；红枣泡发洗净，枸杞泡发去杂洗净；

2.将鱼头、红枣、枸杞一起放入汤盅内，加入开水，上笼蒸熟；

3.取出调入盐、味精拌匀即可食用。

Tench

鳢鱼

鳢鱼分为乌鳢和月鳢。乌鳢又叫生鱼、黑鱼、财鱼。乌鳢体呈圆筒形，体长可达60厘米，头长、前端扁平，体黑色，腹部灰白，体侧有不规则的斑点。背鳍和臀鳍很长，无硬刺，腹鳍很小，尾鳍圆形。鳢鱼经常栖息在河湖水草区里，尤其喜居在洪水泛滥的淤泥地带。

【营养与功效】

鳢鱼肉质细嫩、厚实、少刺，营养丰富。鳢鱼具有补气血、健脾胃之功效，可强身健体，延缓衰老，还可补气血、养脾胃。鳢鱼还含有人体自身难以合成的高不饱和脂肪酸、氨基酸及人体所必需的优质蛋白质、钙、铁、磷等营养元素以及增强人类记忆的微量元素。

【营养师健康警告】

鳢鱼容易成为寄生虫的寄生体，所以最好不要随便食用污染水域里的鳢鱼。

【适用量】

每次80克左右。

【适合人群】

一般人都适合。

【烹饪特别提示】

不要把鳢鱼与其他小体积草食鱼类养到一起，鳢鱼有可能将其咬死。

瘦身减肥汤

鱼片豆腐汤

准备:10分钟
烹饪:50分钟

【特别提示】豆腐可先在水中稍焯。

【原材料】鱼1条、豆腐1块、草菇20克、葱5克、生姜2克

【调味料】盐2克、味精3克、胡椒粉2克

【制作过程】

1.鱼去鳞，洗净，切成片；豆腐切片；草菇洗净，切片；葱洗净，切段；生姜去皮，切片；

2.锅上火，加油烧至八成油温时，下入鱼片过油，再捞出沥油；

3.锅中加入鱼片、豆腐、草菇、葱、生姜和适量水，煮半小时后，加入调味料即可。

Bean curd
豆腐

相传豆腐的发明与我国汉代淮南王刘安有关。刘安讲究防老之术，在淮南朝夕修炼。陪伴他的僧道常年吃素，为了改善生活，就悉心研制出了鲜美的豆腐，并把它献给刘安享用。刘安一尝，果然好吃，下令大量制作。这样，豆腐便流传开来。

【营养与功效】

豆腐是用石膏或卤水制成的，含铁、钙、镁较多，对小儿骨骼与牙齿生长有特殊帮助。镁对心肌有保护作用，故适合于冠心病患者食用。豆腐中植物蛋白含量丰富，质量好，且含糖量少，有增强中性脂肪排泄的作用，最适合糖尿病患者和体胖者食用，也可以说豆腐是高血压、高血脂、冠心病、动脉硬化、糖尿病患者和体胖者的保健食品。

【营养师健康警告】

豆腐含嘌呤较多，因嘌呤代谢失常的痛风病人和血尿酸浓度增高的患者不宜食用。

【烹饪特别提示】

烹饪时一定要轻，否则豆腐易烂。

【适用量】

每餐约50克。

【选购】

要选择颜色正、无异味的豆腐。

【烹饪方法】

烹调方式多样，可煮，可炒，可炖等。

【保存】

豆腐不宜保存，建议现买现食。

瘦身减肥汤

健胃鲫鱼汤

准备:5分钟
烹饪:20分钟

【特别提示】将鱼煎一下，煮出来的汤色会更浓，味会更香。

【原材料】鲫鱼1条、番茄1个、三花淡奶20克、豆腐1块、生姜50克、生葱20克、沙参20克

【调味料】盐5克、味精3克、胡椒1克

【制作过程】

1.番茄洗净，切成小丁；生姜去皮，切成片；豆腐切成小丁；沙参泡发；

2.鲫鱼去鳞、内脏洗净后，在背部打上花刀；

3.锅加水烧沸，放入所有准备好的原材料煮沸后，加入调味料煮至入味即可。

Crucian Carp

鲫鱼

鲫鱼属鲤亚科，俗称喜头、鲫拐子（湖北），鲫瓜子（东北），河鲫鱼（上海），月鲫仔（广东）。鲫鱼属深水鱼类，生长环境的水温较低，生长速度缓慢，营养丰富。

【营养与功效】

鲫鱼可补阴血、通血脉、补体虚，还有益气健脾、利水消肿、清热解毒、通络下乳、祛风湿病痛之功效。鲫鱼肉中富含极高的蛋白质，而且易于被人体所吸收，氨基酸也很高，所以对促进智力发育、降低胆固醇和血液黏稠度、预防心脑血管疾病具有明显的作用。鲫鱼油也有利于增强心血管功能，还可促进血液循环。鱼卵则可调中补气。

【营养师健康提示】

阳虚体质和素有内热者不能食用，易生热而生疮疡者也忌食。

【特别提示】

鲫鱼与蜜同食会中毒，可以用黑豆、甘草解毒。鲫鱼不能与麦冬、沙参同用，不能与芥菜同食。

【适用量】

每餐50克。

【适合人群】

所有人均可食用，尤其适合老人、儿童、孕产妇及体虚者食用。

瘦身减肥汤

莲子枸杞炖猪肚

准备:10分钟
烹饪:90分钟

【特别提示】洗猪肚时可加入适量生粉和酒反复搓洗。

【原材料】猪肚600克、莲子20克、枸杞10克、生姜10克

【调味料】盐5克、味精3克、胡椒1克

【制作过程】

1.猪肚洗净煮熟后取出，切片；莲子、枸杞泡发；

2.锅上火，加油烧热，下入猪肚爆香后装入炖盅内；

3.再下入莲子、枸杞、生姜，加入适量清水炖80分钟，加入调味料即可。

Pig stripe

猪肚

猪肚是猪内脏中胆固醇含量最低的部位，味道特别，深受人们喜欢。

【营养与功效】
中医认为，猪肚味甘、性微温，有补益脾胃之功效，多用于治疗脾虚腹泻、虚劳瘦弱、小儿疳积、尿频或遗尿等症。

【营养师健康警告】
猪肚为猪全身胆固醇含量最低的部分，除心脑血管疾病患者外，适宜各种年龄和体质的人食用。

【烹饪特别提示】
将猪肚煮烂后再用其他烹饪方法制作。

【适用量】
每次50克。

【烹饪方法】
可爆、炒、烧、卤、凉拌、蒸、煲、炖等。

【选购】
新鲜的猪肚，呈白色略带浅黄，质地坚挺厚实，有光泽，有弹性，黏液较多，但无异味。

瘦身减肥汤 **三鲜鱼丸汤**

准备:5分钟
烹饪:15分钟

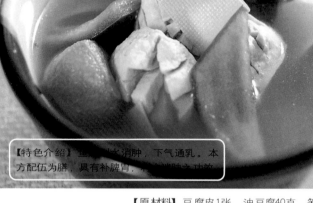

【特色介绍】鱼丸利水消肿，下气通乳。本方配伍为膳，具有补脾胃，利水消肿之功效。

【原材料】豆腐皮1张、油豆腐40克、笋片40克、素鱼丸100克、番茄40克

【调味料】盐、味精、花生油、香油、料酒、鲜汤各适量

【制作过程】

1 豆腐皮用清水浸泡至软，切成长方片；笋片洗净，番茄均切成片；素鱼丸放入清水中漂洗后，沥干水分待用；

2. 汤锅置火上，放入花生油，烧至七成热时，放入鲜汤、豆腐皮、笋片、番茄片、油豆腐和素鱼丸，然后加料酒、盐、味精；

3. 待滚开后，淋上香油即成。

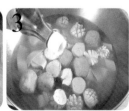

韭菜鲜虾汤

准备:8分钟
烹饪:10分钟

【原材料】韭菜150克、鲜虾250克

【调味料】味精、盐适量

【制作过程】

1.将韭菜择洗净，切段，备用;

2.鲜虾去壳、去沙线，备用;

3.将锅中加适量水烧开后放鲜虾，略煮至熟后放韭菜，撒味精、盐即可。

【特色介绍】此菜滋阴补血，益精明目，丰肌悦色，两者同用，去毒，补气养血，健脑，明目。

杨桃紫苏梅甜汤

准备:5分钟
烹饪:10分钟

【原材料】 杨桃1颗、紫苏梅4颗、清水600毫升、麦门冬15克、天门冬10克

【调味料】 紫苏梅1大匙、冰糖1大匙

【制作过程】

1.将麦门冬，天门冬放入棉布袋；杨桃表皮以少量的盐搓洗，切除头尾，再切成片状。

2.药材与全部材料放入锅中，以小火煮沸，加入冰糖搅拌溶化。

3.取出药材，加入紫苏梅汁拌匀，待降温后即可食用。

【适用对象】

额部长小小粉刺型青春痘、容易烦燥、口干咽干、舌尖两颊看起来红红的人。

Starfruit

杨桃

别名阳桃、羊桃、五敛子。

大都认为杨桃原产于马来西亚等地，我国汉朝有栽培记载，福建、广东、广西、云南等地及亚洲东南亚、印度、美洲巴西等热带地区均普遍有栽培。

【营养师特别提示】

饭后吃杨桃有助于消化。

【营养与功效】

新鲜杨桃碳水化合物的含量十分丰富，所含脂肪、蛋白质等营养成分，有助于人体消化、滋养和保健。

中医认为：杨桃具有下气和中、清热止渴、生津消烦、利尿、解毒、醒酒等功效。用于防治风热咳嗽、口渴烦躁、咽喉疼痛、口腔炎、牙痛、肝病、小便不利、结石症、坏血病、食毒酒毒等。

现代医学研究认为：杨桃有降低血脂、胆固醇、血糖的作用，富含的维生素C能提高机体免疫力，对咽喉炎症、口腔溃疡、风火牙痛有很好的疗效。

【杨桃的多种食用方法】

杨桃是水分很多的水果，果汁清凉可口，解渴消暑，更有独特的风味。果实除生食外，亦可制造罐头、果汁、果酱或蜜饯，尤其酿酒更是味美而香醇。酸味品种，多用来制果汁、蜜饯和果酱；将杨桃切片，搓揉少许食盐后，曝晒至软化，浸泡糖水即成杨桃汁；如将它熬糖即成蜜饯，可变成又咸又酸又甜的味道。将酸杨桃洗净，切成1厘米厚的星形，放入不锈钢锅中煮10分钟，取出放入果汁机中搅打1分钟，用纱网将果汁滤出，加入白糖和果胶煮成黏稠状，便成杨桃果酱，它具有特殊的风味，适合涂在吐司面包或馒头上食用。

【适用量】

每天1个。

【清洗】

只需用清水洗净即可。

【选购】

应选择个大、颜色金黄、闻起来有香味的果实。

【保存】

不能放入冰箱中冷藏，要放在通风阴凉处储存。

淮山莲子炖鱼头

准备:10分钟
烹饪:70分钟

【特别提示】莲子一定要去除莲心才不会有苦味。

【原材料】鱼头1个、淮山500克、莲子100克、姜10克

【调味料】鸡精2克、胡椒粉2克、盐3克、食用油20克

【制作过程】

1.鱼头去鳃、洗净血水、剖开备用,莲子泡发去莲心,淮山去皮切块,姜去皮切片;

2.煎锅上火,注入油烧到四成热,放入鱼头,煎至两面呈金黄色;

3.转入砂锅,放入淮山、莲子、姜片,大火炖约60分钟,调入盐、鸡精、胡椒粉各少许,拌匀即可食用。

万寿果炖猪肚

瘦身减肥汤

准备:10分钟
烹饪:1小时

【特别提示】猪肚要用盐和生粉先腌制才能洗净,去除异味。

【原材料】万寿果1个、猪肚1个、姜10克

【调味料】盐3克、鸡精2克、香油5克、胡椒粉3克

【制作过程】

1. 万寿果对半剖开后去皮、籽,洗净切条块,猪肚用盐、生粉稍腌,洗净切条块,姜去皮洗净切片;

2. 锅上火,爆香姜片,放入适量清水,大火烧开后,放入猪肚、万寿果,焯烫片刻,捞出沥干水分;

3. 猪肚转入锅中,倒入清汤,加入姜片,大火炖约30分钟,放入万寿果,继续炖约20分钟,调入盐、鸡精、胡椒粉、香油,拌匀即可食用。

1

2

3

培根花椰菜汤

准备:6分钟
烹饪:30分钟

【原材料】 白花椰菜200克、 马铃薯150克、 培根75克、 清水750毫升、
山楂10克、 麦门冬8克
【调味料】 盐2小匙、 黑胡椒粉1/4小匙

【制作过程】

1.将山楂、 麦门冬放入棉布袋与清水750毫升置入锅中, 以
小火加热至沸腾, 约3分钟后关火, 滤取药汁备用。

2.白花椰菜洗净, 剥成小块状; 马铃薯去皮, 切小块; 培
根切小丁。

3.白花椰菜和马铃薯放入锅中, 倒入药汁以大火煮沸, 转小
火续煮15分钟至马铃薯变软。

4.加入培根及调味料, 再次煮沸后关火即可食用。

Cauliflower
花椰菜

花椰菜也叫菜花、花柳菜，属十字花科芸薹菜，一年生草本蔬菜。此菜叶长如椰叶，以中心的大花球供食。有白、绿两种颜色，但营养成分及功效基本相同，都富含蛋白质、胡萝卜素、维生素C、钾、钙、磷、锌和硒等成分。

【营养与功效】
花椰菜含有丰富的维生素和各种植物化学元素，可以有效预防癌症，特别对肠癌有辅助治疗效用，多食还可治疗牙龈出血等症。

【营养师健康提示】
花椰菜营养丰富，一般人均可食用。

【烹饪特别提示】
花椰菜的菜花很软，要掌握好烹调的时间。菜秆可切成圆片或条，烹调时会熟得更快。

【适用量】每次100克。

【烹饪方法】
适合炒、烩、烧、拌等。

【选购】
要选购花球大、紧实、色泽好、花茎脆嫩、花芽尚未开放的；而花芽黄化、花茎过老的，品质均不佳。

【保存】
用保鲜袋包好，放入冰箱中，一般可保存1周左右。

板蓝根煲猪肝

准备:5分钟
烹饪:40分钟

【特色介绍】此菜对急性肝炎、慢性活动性肝炎均有很好的疗效。

【原材料】板蓝根30克，猪肝250克，盐、味精适量

【制作过程】

1. 先将猪肝洗净切成片。

2. 再将板蓝根放入沙锅内，加水适量，煎煮半小时。

3. 滤去药渣，再放入洗净切片的猪肝片，煮沸后加入盐、味精即可。

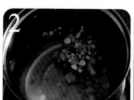

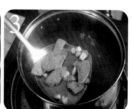

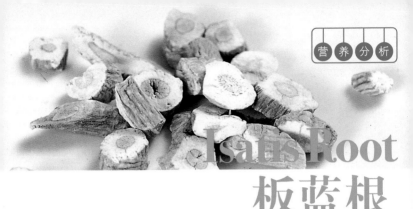

Isatis Root
板蓝根

板蓝根为十字花科菘蓝的干燥根。秋季采挖，除去泥沙，晒干。切片，生用。

【药用价值】

板蓝根含靛蓝、靛玉红、青黛酮和胡萝卜苷等。板蓝根抗菌谱广，对脑炎双球菌、溶血性链球菌、白喉杆菌、肠炎杆菌等都有抑制作用。临床表明，板蓝根有抗病毒作用，如果合理配以其他药物，可防治多种疾病。常见的包括病毒性肝炎、感冒、流感、腮腺炎、流脑、红眼病。板蓝根为常用中药，性寒，味苦，具清热解毒、凉血利咽之功效，常用于温毒发斑、舌绛紫暗、痄腮、喉痹、烂喉丹痧、大头瘟疫、丹毒、痈肿等。

【健康红绿灯】

体虚而无实火热毒者忌服，脾胃虚寒者慎用。

【特别提示】

防治感冒、流感，取板蓝根20克，甘草3克，煎汤连服3～5天可作预防；或用板蓝根冲剂冲服，每次1包，每日2次，连服3日，也有较好的防治作用。

【用法用量】

煎服，9～15克。

【功效】

清热解毒，凉血，利咽。

【药性】

味苦，性寒。归心、胃经。

绿豆鹌鹑汤

准备:5分钟
烹饪:30分钟

【特别提示】要先煲烂绿豆再下入鹌鹑。

【原材料】 绿豆50克、鹌鹑1只、瘦肉50克

【调味料】 盐5克

【制作过程】

1.将绿豆洗净泡发，瘦肉切成厚块;

2.鹌鹑洗净斩成块，与瘦肉块一起下入沸水中焯去血水后捞出;

3.将绿豆下入锅中煮至熟烂，再下入所有材料一起煲25分钟，调入盐即可。

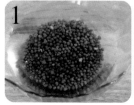

1

2

3

Green gram
绿豆

绿豆为蝶形花科植物绿豆的种子，又叫青小豆、青豆子。

【功效】

绿豆具有清热消暑、利尿消肿、润喉止咳及明目降压之功效。李时珍称之为"济世良谷"。绿豆能厚肠胃、润皮肤、和五脏、滋脾胃。绿豆不仅能解许多种毒物中毒（如酒精中毒、药物中毒等，尤其是食物中毒），而且是民间重要的消暑食品。医学也证明绿豆的确可以清心安神、治虚烦、润喉止痛、改善失眠多梦及精神恍惚等现象，还能有效清除血管壁中胆固醇和脂肪的堆积，防止心血管病变。此外，绿豆粉和白酒调成糊状，还可治疗中、小面积烧伤，效果十分理想，用此法渗出物少，结痂快，不留疤痕，并可大量减少输液和抗生素的使用。

【营养成分】

蛋白质、糖类、膳食纤维、钙、铁、维生素B₁和维生素B₂等。

【性味】

味甘、性凉。

【热量】

每百克325千卡。

【外形】

绿豆以颗粒细致、鲜绿者为佳。

【食用】

绿豆可做粥、炖汤、做羹，还可以加工成副食品。

【保存】

绿豆较易保存，用容器装好置于阴凉、通风、干燥处即可长时间存放。

瘦身减肥汤

土茯苓鳝鱼汤

准备:6分钟
烹饪:30分钟

【原材料】鳝鱼100克、巴西蘑菇100克、清水800毫升、当归8克、土茯苓10克、赤芍10克

【调味料】盐2小匙、米酒1/2大匙

【制作过程】

1.鳝鱼洗净，切小段，巴西蘑菇洗净。

2.将全部材料与清水置于锅中，以大火煮沸，转小火续煮20分钟。

3.加入调味料拌匀即可食用。

【适用对象】

生理免疫力差、小便黄浊、油性肤质、下巴长化脓性痘痘的女性。

Aneel

鳝鱼

鳝鱼学名黄鳝，俗称长鱼，是一种特殊的雌雄共同体。小暑前后，正是黄鳝产卵的旺盛季节，市场上的鳝鱼以带卵的细瘦黄鳝为多，俗称"笔杆鳝"，营养价值较低。到了小雪时节，黄鳝长得肥壮、粗大，又美味，其营养价值很高，才是真正"赛人参"的佳肴。

【营养与功效】

根据营养学家测验，鳝鱼的营养价值很高，含有维生素 B_1 和 B_2、尼克酸及人体所需的多种氨基酸等。同时，鳝鱼还具有补血益气、宣痹通络的保健功效。《草本备要》载："鳝鱼补五脏，除风湿。尾血疗口眼歪斜，滴耳治耳病，滴鼻治鼻衄，滴目治痘后翳。"中医认为，黄鳝具有补气、养血、温阳益脾、滋补肝肾、祛风通络等功效。其肉能补中益血，黄鳝头能止痢和治积食不消症；鳝皮可治妇女乳腺硬块疼痛症。现代医学对黄鳝进行了研究，从鳝鱼中提取一种"黄鳝鱼素"，再从此鱼素中分离出黄鳝鱼素A和黄鳝鱼素B，这两种物质具有显著降血糖作用和恢复调节血糖的生理机能作用。因此，黄鳝是糖尿病人较理想的食品。

【营养师健康提示】

供食用的黄鳝应当由鲜活黄鳝烹调，不宜采用死了好几个小时的黄鳝，否则食用后易引起中毒。

【特别提示】

鳝血入酒饮后增力补气，还可用此酒涂抹治疗癣、瘘，民间还用来治疗歪嘴巴（早期面神经瘫痪），所以食用鳝鱼不可丢去鳝血。

【适合人群】

一般人均可食用。特别是对正在生长发育的青少年、产妇和年老体弱者，尤其适合。

【适用量】每次50克。

瘦身减肥汤 **芋头水瓜羹**

准备:5分钟
烹饪:20分钟

【特别提示】蛋清下锅时，不要立即搅动，需过约30秒钟后才搅动。

【原材料】水瓜300克、芋头500克、姜10克、蛋清1个
【调味料】盐3克、鸡精粉2克、砂糖少许、食用油15克
【制作过程】

1.芋头洗净去皮切丁，水瓜去皮、瓤，洗净切丁，姜去皮切末;

2.锅上火，注入适量水，待水开，下芋头丁焯烫至熟，捞出沥干水分;

3.锅上火，加入适量食用油，烧热爆香姜末，放入清水，水开后放入芋头丁煮约10分钟，调入盐、砂糖，放入水瓜再煮1分钟，加入蛋清搅拌匀，出现蛋花时，盛出即可。

1

2

3

Taro
芋头

芋头又名芋艿、土芝、毛芋等，属天南星科作物，原产中国和印度。芋头含脂肪、蛋白质、糖等多种营养成分，其味辛、平、滑，生芋有小毒。

【营养与功效】

芋头具有化痰祛湿、益脾胃、消瘰散结的功效，对少食乏力、瘰疬结核、久痢、便血、病毒有一定的治疗作用。芋头含丰富的膳食纤维，能促进肠壁蠕动，对便秘有很好的疗效。芋头所含的矿物质非常丰富，钾可降血压，氟能保护牙齿，且吃了容易有饱胀感，质地柔软有利于肠道吸收，还能解酒、补肝肾、补虚健脾等。

【营养师健康警告】

生品有毒，麻口，刺激咽喉，不可食用。特别适合身体虚弱者食用。

【烹饪特别提示】

在剥洗芋头时，手部皮肤会发痒，在火上烤一烤可缓解，但剥洗芋头时最好戴上手套。

【适用量】

每次2个。

【烹饪方法】

可蒸、煮、炸、炒、炖、炖肉、炒食营养则更丰富，或做成芋头泥供婴儿及胃弱者食用。

【选购】

大小均匀、无虫眼、无疤痕、无腐烂痕迹、有一定重量感的为上品。

【保存】

芋头易于保存，放置在阴凉处可保存1～2个月。

瘦身减肥汤 **青菜雪耳羹**

准备:5分钟
烹饪:1小时

【特别提示】雪耳要先用冷水泡发。

【原材料】青菜100克、雪耳20克、姜5克、葱3克、鸡蛋1个
【调味料】盐3克、鸡精2克、生粉水6克、香油5克
【制作过程】

1.青菜洗净切末，雪耳泡发后洗净撕碎，姜去皮切末，葱切花，鸡蛋打入碗中拌匀，备用；

2.净锅上旺火，注入适量清水，放入雪耳，大火炖开后，转用小火慢煮；

3.煮至锅中羹黏稠时，放入青菜末，调入盐、鸡精粉、姜末、葱花、生粉水、香油勾芡后，淋入蛋液搅拌均匀，至出现蛋花时即可出锅。

1

2

3

White Fungus

银耳

银耳，又称白木耳，是一种生长于枯木上的胶质真菌。因其色白如银，故名银耳。由于银耳所含的营养全面，且有一定的药用价值，历来与人参、鹿茸同具显赫声誉，被人们称为"山珍""菌中明珠"。银耳又是席上珍品佳肴和滋补佳品。

用冰糖、银耳各半，放入砂锅中加水，以文火加热，煎炖成糊状的"冰糖银耳汤"，透明晶莹，汤甜味美，是传统的营养滋补佳品；用银耳、枸杞、冰糖、蛋清等一起炖制的"枸杞炖银耳"，红白相间，香甜可口，具有较强的健身功能；用银耳与大米煮粥，也是别具风味的营养佳品。

【营养与功效】

银耳营养丰富，且有一定的药用价值，被人们誉为"菌中明珠"。银耳热能较低，含有丰富的食物纤维，糖尿病病人食之有延缓血糖上升的作用。近年来有研究报道，银耳中含有较多的银耳多糖，对胰岛素降糖活性有明显影响。在动物实验中发现，银耳多糖可将胰岛素在动物体内的作用时间从3～4小时延长至8～12小时。因此，对糖尿病病人控制血糖有利。

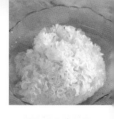

【营养师健康提示】

银耳为补品，药力平缓，故只宜用于轻症缓症或亚健康者的日常保健，若遇重症急症当需配伍他药或作为治疗的辅助品。

【适用量】

每次25克。

【选购】

选嫩白晶莹、略带乳黄者。

瘦身减肥汤 三丝萝卜羹

准备:10
烹饪:20分

【特色介绍】清淡适宜，鲜香可口。

【原材料】红萝卜50克、白萝卜50克、青萝卜50克、木耳10克、鸡蛋1个

【调味料】生粉水8克、鸡精粉2克、盐3克

【制作过程】

1.三种萝卜去皮切丝，木耳泡发洗净撕碎，鸡蛋打入碗内搅匀，备用；

2.净锅上火，放入清水，大火烧沸，下入切好的三种萝卜丝和木耳；

3.大火炖至萝卜丝熟，调入盐、鸡精粉、生粉水勾芡后，淋入鸡蛋液拌匀即可。

Radish
萝卜

萝卜又名紫花菘、温菘、莱菔等，属十字花科，两年生草本植物。我国是萝卜的故乡，早在3000多年前就有栽种，萝卜的形状有长圆筒形、圆锥形、圆形、圆扁形，皮有白、绿、红紫色，萝卜营养丰富，有很好的食用、药用价值。

【营养与功效】

萝卜热量少，纤维素多，吃后易产生饱胀感，因而有助于减肥。萝卜能增加机体免疫力，还能抑制癌细胞的生长，对防癌、抗癌有重要作用。萝卜还是一味中药，其味辛甘，性凉，主治食积胀满、痰嗽失音、吐血、痢疾。

【营养师健康警告】

萝卜不能和人参或胡萝卜一起食用，胃肠功能不佳者及先兆流产、子宫脱垂患者勿食。

【烹饪特别提示】

若要和胡萝卜一起食用则应加些醋调和。

【适用量】

每餐50～100克。

【烹饪方法】

可炒、可生吃、可腌、酱、拌、炝、煮、蒸、做馅、做汤等。

【选购】

应挑选个体大小均匀，无病变、无损伤的鲜萝卜，萝卜皮细嫩光滑，密度大，用手指轻弹，声音沉重、结实的为佳，如声音混浊的则多为糠心。

瘦身减肥汤 # 山药豆腐汤

准备:8分钟
烹饪:15分钟

【原材料】 山药200克、豆腐400克、蒜头1瓣

【调味料】 酱油、麻油、葱、盐、味精各适量

【制作过程】

1.山药去皮，豆腐沸水烫后分别切成丁；

2.花生油烧至五成热，爆香蒜蓉，倒入山药丁翻炒数遍；

3.再加上适量水，待沸倒入豆腐丁，调味，煮沸，撒上葱花，淋上麻油。

【特色介绍】 此菜可治疗肿虚湿盛，水肿，体虚等疾患。

1

2

3

yam

山药

山药为薯蓣科植物薯蓣的根茎。霜降后采挖，刮去粗皮，晒干或烘干，为"毛山药"，或再加工为"光山药"。润透，切厚片，生用或麸炒用。

【药性】

味甘，性平。归脾、肺、肾经。

【功效】

补脾养胃，生津益肺，补肾涩精。

【药用价值】

山药富含皂甙、黏液汁、胆碱、淀粉、糖蛋白、自由氨基酸、多酚氧化酶、维生素C等多种成分。另外山药还含钾、磷、钙、铁、镁、锌、铜、锰等多种元素，营养价值和药用价值极高。

山药含中性多糖和酸性多糖，具有促进淋巴细胞转化和腹腔巨噬细胞吞噬的生理活性之作用，能增加血液白细胞，加强白细胞的吞噬功能，因而对促进特异性免疫和非特异性免疫功能均有较好作用。山药富含淀粉酶，有水解淀粉作用，并能促进前列腺素的分泌、合成，故对糖尿病有较好的辅助治疗作用，有降低血糖、尿糖作用，并能有效地缓解和治疗由糖尿病引起的倦怠乏力、多饮、多食、多尿、浮肿、神经炎、消化性腹泻等并发症。

山药能明显增加谷胱甘肽过氧化物酶的活性，增强肌体的抗氧化能力，对延缓衰老具有重要作用。

【用法用量】

煎服，15～30克；麸炒可以增强补脾止泻的作用。

【特别提示】

【健康红绿灯】

山药治糖尿病宜多用配方，不宜单用，而其用量为9～18克。当食物吃，治糖尿病一次不宜过多。

山药最大的特点是能够供给人体大量的黏液蛋白质，对人体有特殊的保健作用，能预防心血管系统的脂肪沉积和血管粥样硬化过早发生，减少皮下脂肪沉积，避免出现肥胖。

蟹黄雪蛤羹

准备:10分钟
烹饪:20分钟

【特别提示】煮的时间不宜过长。

【原材料】 水发雪蛤100克、蟹黄30克、姜1块
【调味料】 盐5克、鸡精粉10克、荠粉少许

【制作过程】
1.雪蛤洗净，姜洗净切粒；
2.锅中注适量水烧开，放入雪蛤焯烫，加入鸡精粉、盐，用荠粉勾荠装盘；
3.将蟹黄、姜粒入油锅中炒香，盛出装盘即可。
【特色介绍】营养丰富。

沾水豆苗

准备:5分钟
烹饪:10分钟

瘦身减肥汤

【特别提示】切忌放油。

【特色介绍】风味出众，豆苗碧绿清脆。

【原材料】豆苗500克、单山沾水料8克、清汤800毫升

【调味料】盐10克、味精5克、胡椒粉3克、香菜10克、葱花10克

【制作过程】

1.豆苗洗净;

2.将盐、味精、香菜、葱花、单山沾水料装入小碗拌匀，加入鲜汤待用;

3.豆苗用清汤煮滚，倒入大碗内跟调味料碗一起上桌即成。

营养师提示

在日常饮食当中，若能将各种食物科学地搭配，不仅能提高营养物质的利用率，还能起到强身健体的作用。但是，如果搭配不当，对身体健康则会造成一定的伤害，严重的甚至会危及生命。本书中涉及的部分食物，具体相宜与相克的情况图示如下：

鲫鱼 相宜 木耳

鲫鱼和木耳同时食用能起到很好的补益功效，同时还具有美容养颜之功效。

绿豆 相宜 南瓜

绿豆和南瓜都具有降低血糖的作用，同时食用还可起到清热解毒的作用。

大米 相宜 绿豆

大米和绿豆同时食用，可提高氨基酸的利用率，使营养更为丰富。

食物相宜

蛤 相宜 豆腐

蛤和豆腐同时食用有补气、养血、美容、养颜之功效。

芹菜 相宜 西红柿

芹菜和西红柿同时食用有降血压之功效，特别适合心血管疾病患者食用。

冬瓜 相宜 鸡肉

冬瓜和鸡肉同时食用，对身体的补益作用很强，有清热利尿、美容的作用。

食物相宜

土豆 相宜 牛肉

牛肉的营养价值是非常高的，但是牛肉的纤维很粗，可刺激胃黏膜，不易消化；土豆中含有丰富的叶酸，与牛肉同时食用，不仅能够为人体提供更为全面的营养成分，还能起到保护胃黏膜的作用，而且易于被人体吸收。

豆腐 相宜 鱼

鱼肉中含有丰富的优质蛋白质和多种人体必需的氨基酸，豆腐中含有大量的植物性蛋白质，同时食用可促进机体对钙的吸收，可预防佝偻病和骨质疏松症。

牛肉 相宜 芋头

牛肉和芋头同时食用可治疗食欲不振，同时还具有美容养颜的作用。

食物相宜

白菜 相宜 鸭肉

白菜中含有丰富的维生素C，鸭肉中含有大量的蛋白质、脂肪和胆固醇，同时食用可促进血液中胆固醇的代谢，有利于身体健康。

猪肉 相宜 芋头

芋头含有丰富的营养物质，和猪肉同时食用可以对人体起到很好的补益作用。

白菜 相宜 虾肉

白菜和虾肉同时食用，可增强机体免疫力，改善人体微循环，增强抗病能力。

食物相克

鲫鱼 相克 冬瓜

鲫鱼中含有多种微量元素，和冬瓜同时食用会降低营养价值。

鲫鱼 相克 猪肝

鲫鱼中含有多种生物活性物质，和猪肝同时食用，可降低猪肝的营养价值，并容易导致腹痛、腹泻。

狗肉 相克 绿豆

狗肉和绿豆气味有冲突，同时食用会导致消化不良，引起腹胀、腹痛。

田螺 相克 蛤

蛤与田螺均属寒凉之物，同时食用对胃肠道有很大刺激，会导致腹痛、腹泻、消化不良。

食物相克

《吃遍天下》26
瘦身减肥汤

芹菜  相克 蛤

蛤中含有维生素B₁分解酶，这种酶在高温环境下失活，但是很多人在食用海鲜时都喜欢用开水烫一下或者直接生食，因此与芹菜同食会破坏芹菜中的维生素B₁，使营养成分降低。

黄瓜 相克 西红柿

西红柿是一种维生素C含量很高的食品，黄瓜中含有的维生素C分解酶可使之破坏，所以不能同时使用。

西红柿 相克 土豆

西红柿中含有大量的酸类物质，能与土豆在胃中形成不易消化的物质，极易导致腹痛、腹泻和消化不良。

豆腐 相克 葱

豆腐中含有丰富的钙，小葱中含有草酸，同时食用可产生草酸钙沉淀，不易消化吸收，对身体有害。

食物相克

胡萝卜 相克 萝卜

胡萝卜中含有维生素C的分解酶，萝卜中含有非常丰富的维生素C，同时食用营养成分会被破坏。

白菜 相克 兔肉

白菜中含有丰富的维生素C，兔肉含有优质的蛋白质，同时食用会使蛋白质变性，降低营养价值。

萝卜 相克 橘子

萝卜含有多种酶类，在体内可合成一种硫氰酸，它是一种抗甲状腺物质，这时食用橘子会加强抑制甲状腺的作用，易诱发甲状腺肿大。

人参 相克 萝卜

人参的补益作用很强，萝卜有顺气之功效，两者功能相悖，同时食用易导致腹胀。